DK A Dorling Kindersley book.
Titre original : Eye Openers
1er volume   : Farm Animals
2e volume   : Zoo Animals
3e volume   : Trucks
4e volume   : Pets

Traduction de Laurence Berrouet
Édition française © Éditions Nathan
(Paris-France), 1991.
Imprimé en Italie

Première édition publiée au Canada en 1991 par
Scholastic Canada Ltd. 123, Newkirk Road,
Richmond Hill (Ontario)·Canada

**Données de catalogage avant publication
(Canada)**

Vedette principale au titre:

Camions

(L'École des images)
Traduction de: Trucks.
ISBN 0-590-73906-9

1. Camions – Ouvrages pour la jeunesse.
I. Collection.

TL230.15.T7814 1991 j629.224 C91-093280-8

Les camions

Scholastic Canada Ltd.
123, Newkirk Road, Richmond Hill (Ontario) Canada

Le camion de livraison

Ce camion ne fait pas
de longs trajets.
Il va livrer des marchandises
dans les magasins.
On ouvre grand l'arrière
du camion pour décharger
plus facilement.

la cabine

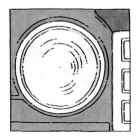

le phare

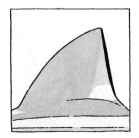

le déflecteur

7

Le chasse-neige

En hiver, le chasse-neige
enlève la neige
qui encombre les routes.
La pelle chasse la neige
sur les bords.
La benne, à l'arrière,
bascule et déverse du sable
ou du sel
pour que la route
ne soit pas glissante.

8

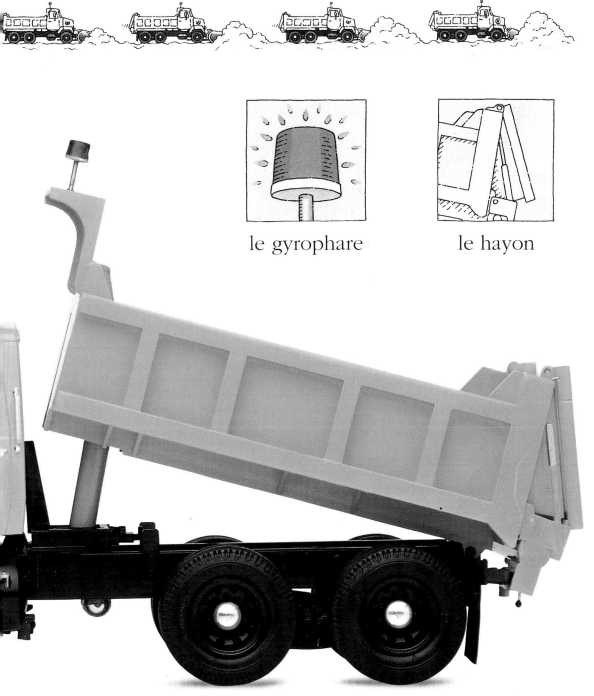

le gyrophare   le hayon

La bétonnière

Ce camion livre le béton
sur les chantiers.
Le béton se prépare
dans un grand
tambour mélangeur
qui tourne en permanence.
On déverse ensuite
le béton par
le toboggan situé
à l'arrière.

le capot

le toboggan

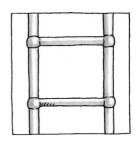

l'échelle

le tambour mélangeur

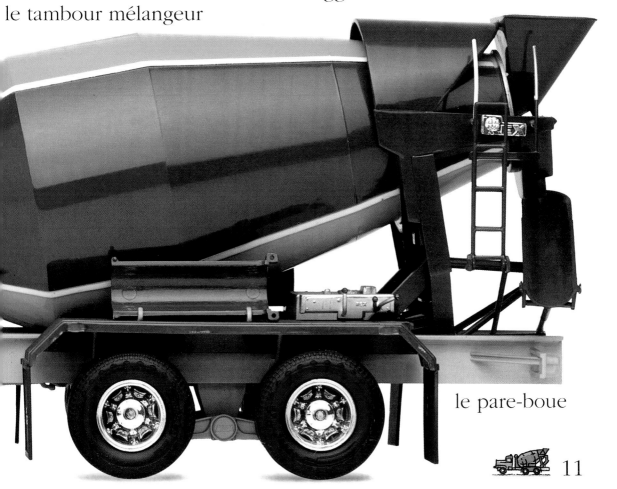

le pare-boue

 11

Le camion de pompier

Le camion de pompier a une très
longue échelle qui permet
d'atteindre le sommet des immeubles.
Le pompier déploie l'échelle,
prend place dans la cabine
et va chercher
les personnes prises
dans la fumée et les flammes.

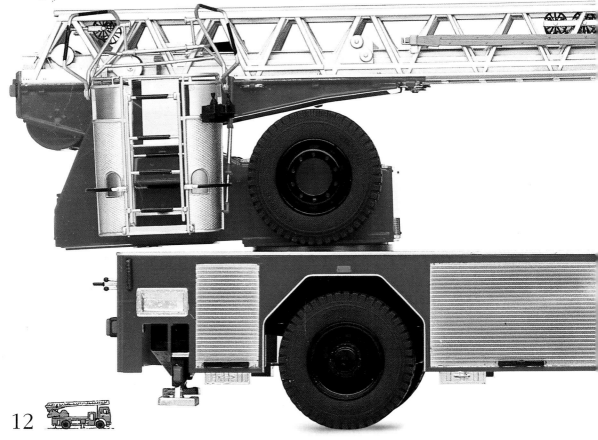

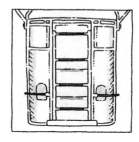

le gyrophare   la cabine   le tuyau d'incendie

l'échelle

13

Le camion grue

Ce camion a une grue qui soulève des chargements
très lourds, comme des tas de briques
ou des blocs de béton. Les pieds
à l'arrière assurent sa stabilité.
Il est très utile sur les chantiers.

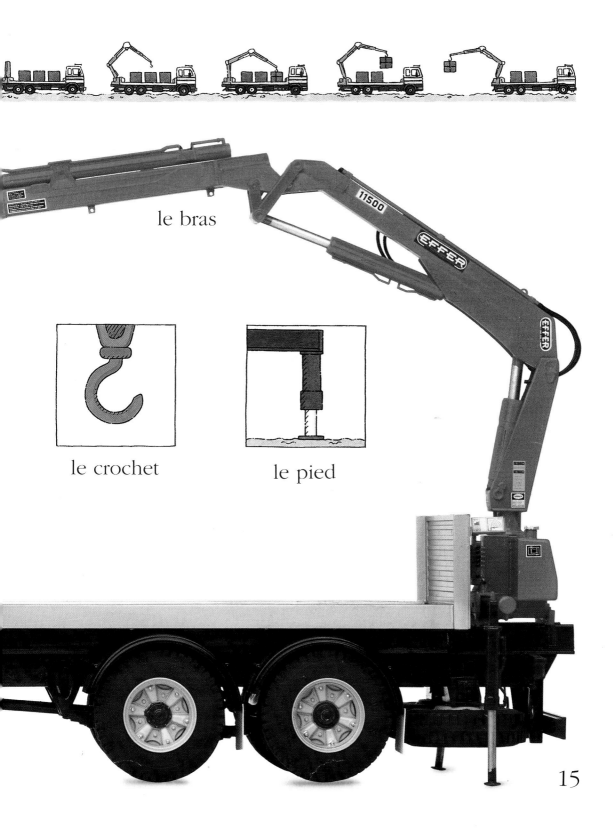

le bras

le crochet

le pied

15

Le camion-citerne

Ce camion transporte
de l'essence, à l'intérieur
de sa grande citerne.
A la station, on livre
l'essence par un tuyau
et on la stocke
dans des réservoirs
souterrains.

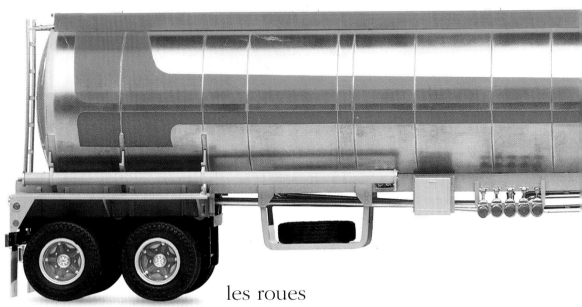

les roues

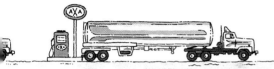

le tuyau

le rétroviseur

la roue de secours

la citerne

le déflecteur

17

La dépanneuse

La dépanneuse vient
en aide aux véhicules
accidentés
ou simplement
en panne.
On suspend
la voiture
au crochet de la grue.
Puis le camion
la remorque
vers un garage
où elle sera réparée.

le pare-chocs

le tuyau d'échappement

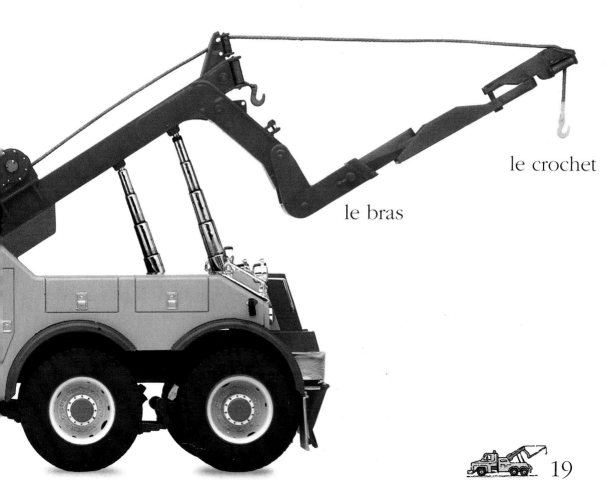

le crochet

le bras

19

Le transporteur

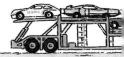

de voitures

Le camion transporteur se charge d'un grand nombre de voitures à la fois. Les voitures montent par la rampe. La cabine du camion peut basculer vers l'avant et permettre au mécanicien d'accéder au moteur.

la cabine basculante

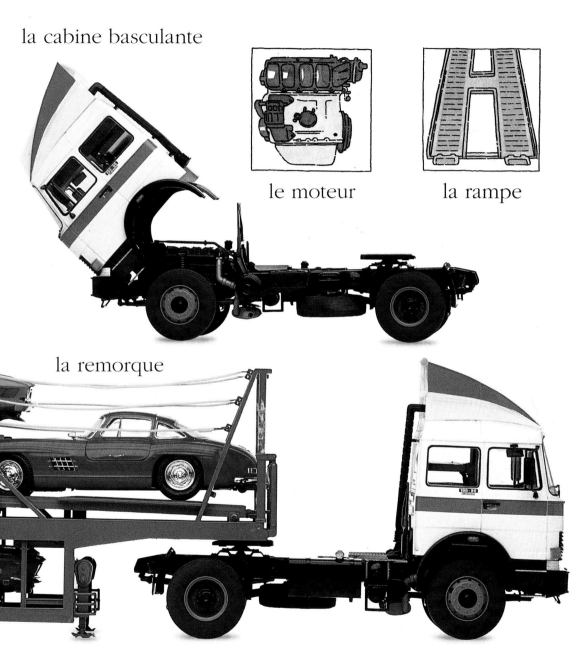

le moteur

la rampe

la remorque